hiwmor

IFAN TREGARON

Cofion Gorau a Diolch

i Cerys

Ifan Tregaron

x–x

CYFRES TI'N JOCAN

hiwmor

IFAN TREGARON

y Lolfa

Hoffwn gyflwyno'r gyfrol
i Mam ac yn enwedig i Dilys
am orfod gwrando

Argraffiad cyntaf: 2006

℗ Ifan Gruffydd a'r Lolfa Cyf., 2006

Cartwnau: Elwyn Ioan

Rhif Llyfr Rhyngwladol: 0 86243 936 1
ISBN-13 9780862439361

Dymuna'r Lolfa gydnabod cefnogaeth ariannol Cyngor Llyfrau Cymru

Cyhoeddwyd, argraffwyd a rhwymwyd yng Nghymru
gan Y Lolfa Cyf., Talybont, Ceredigion SY24 5AP
e-bost ylolfa@ylolfa.com
gwefan www.ylolfa.com
ffôn (01970) 832 304
ffacs 832 782

Rhagair

Pan ges i'r gwahoddiad i sgrifennu'r llyfr jôcs yma, f'ymateb i'n syth oedd "Chi bownd o fod yn jocan," a wedodd y Lolfa, "Na, chi sydd fod i jocan a fe wnawn ni eu cyhoeddi nhw."

Ac fel 'na y buodd hi.

Nawr i sgrifennu llyfr jôcs mae angen o leia tri pheth arnoch chi – beiro, papur, a'r peth mwyaf pwysig, llwyth o jôcs. Ond mae sgrifennu llyfr yn golygu bod rhaid i chi eu rhannu nhw efo'r byd a'r betws. Ond, wrth gwrs, mi rydw i'n Gardi ac fel y gwyddoch mae'r Cardi bob amser yn gymeriad hael iawn, mor belled â bo chi ddim yn gofyn am arian wrtho fe.

Ond i fod o ddifri am funud, ar ôl bod wrthi'n ceisio diddanu am dros ddeg mlynedd ar hugain, mi rydw i wedi mwynhau'n fawr iawn ceisio dewis a dethol y gwahanol storïau ar gyfer y llyfr 'ma. Wrth fynd drwy'r storfa falle y gwnewch chi sylwi nad wy' i wedi cynnwys llawer o jôcs byr, fel jôcs 'Doctor, Doctor', neu 'Pam fod peth a pheth yn...?'

Na, dw i wedi ceisio cynnwys y math o hiwmor rydw i'n ei fwynhau fy hunan. I mi, mae jôc dda'n fwy na jôc, mae jôc dda'n ddrama fach efo dechre, canol a diwedd da, yn llawn cymeriade o gig a gwaed ac mae jôc dda'n gweiddi am gael ei pherfformio i gynulleidfa. Wrth gwrs, mae llawer yn dweud bod hiwmor yn beth difrifol iawn ac mae hynny'n eitha gwir, yn enwedig pan fo chi'n sefyll ar lwyfan a neb yn chwerthin! Dyna pryd mae'n bwysig bod 'dach chi fatri da a digon o betrol yn y car.

Fe holwyd digrifwr enwog yn yr Amerig rai blynyddoedd yn ôl a oedd e'n gofidio os bydde pobol yn codi o'u seddi a chered allan pan fydde fe'n perfformio? Ei ateb oedd "Dim o gwbwl! Pryd dw i'n gofidio yw pan fyddan nhw'n codi a chered tuag ata i." O feddwl am hyn, mae gen i lawer i fod yn ddiolchgar amdano. Mae'r rhan fwyaf wedi aros yn eu seddau i fi ac wedi ymateb yn gyfeillgar iawn.

Fe ddwedodd Ryan unwaith fod Dai a Wil yn gymeriadau pwysig iawn mewn hiwmor Cymraeg am fod yna ryw Dai a Wil ymhob man yn y gymdeithas Gymraeg ac fe alla i eilio'r gosodiad yna. Mae Dai a Wil wedi bod yn ffrindie da i finne dros y blynydde ac fe welwch eu bod nhw yma ac acw o fewn y tudalenne hyn, heb anghofio ffrindie eraill i fi, fel yr hen Idwal wrth gwrs.

Mae Llyfr y Pregethwr yn dweud fod yna amser i grio ac amser i chwerthin… ac os bydd y casgliad bach yma yn rhoi gwên neu ddwy i chi, bydd yr ymdrech o roi pen ar bapur wedi bod yn werth ei neud. Wrth gwrs, mae'n rhaid cyfadde bod jôcs wedi talu'n well i fi na'r defed, ond y peth gore amdanyn nhw yw nad oes rhaid i fi eu cneifio nhw.

Wel, diolch i chi am brynu'r llyfr ac os ych chi wedi ca'l ei fenthyg e, rhowch e nôl gloi a phrynwch gopi eich hunan.

Be' wnewch chi â'r Cardis 'ma?

Hwyl i chi, a diolch am y gefnogaeth, achos oni bai amdanoch chi, y gynulleidfa, fydde neb wedi holi i fi sgrifennu'r llyfr 'ma.

Cofion,

Ifan Gruffydd

A am Anifeiliaid

Roedd yr hen Wil yn byw ar fferm fach fynyddig ac ro'dd y gaeaf wedi bod yn galed a'r gwanwyn yn hir yn dyfod ac o ganlyniad ro'dd bwyd y buchod wedi mynd yn brin. I weud y gwir, ro'dd Wil wedi gorfod rhoi'r buchod i gyd ar ddeiet, ac ar ôl rhyw fis o hyn, fe alle pob un fod wedi ennill *slimmer* y flwyddyn. O'r diwedd, penderfynodd Wil fod yn rhaid gwerthu rhai ohonyn nhw, a bant â fe â buwch i'r mart yn Nhregaron. Wedi cyrraedd y ring hefo'i fuwch i'w gwerthu a honno'n edrych yn fwy tebyg i styllen na buwch, medde'r ocsiwnïar wrtho,

"Wil, mae'r fuwch 'ma'n edrych yn dene ofnadw!"

"Ody, Ody," atebodd Wil, "ond ma' hi'n eitha iach – ei golwg hi sy waetha."

Wel, methu gwerthu fu hanes y fuwch ac allan â fe o'r ring, ond dyma ryw brynwr yn dod ato tu fas gan ddangos diddordeb yn ei phrynu hi. Wedodd e sawl gwaith fod y fuwch yn dene iawn a Wil yn prysuro i ddweud mai ei golwg hi oedd waetha, ond dyma daro bargen.

Y dydd Mawrth canlynol dyma Wil yn mynd drwy'r un broses hefo buwch dene arall a methu cael cynnig yn y ring. Dyma fe'n mynd allan a phwy

welodd e ond prynwr y fuwch gynta, ac aeth Wil
ato a chynnig yr ail fuwch iddo.

"Dim diolch," oedd ei ateb, "Fe dwylloch chi
fi wythnos yn ôl gyda'r fuwch gynta. Pan es i â hi
adre dyma fi'n sylweddoli bod y fuwch yn hollol
ddall."

"Hei, Hei!" medde Wil, "'nes i ddim 'ych twyllo chi o gwbwl. Wedes i ddigon wrtho chi mai ei golwg hi oedd waetha."

★ ★ ★

'Yr asyn a fu farw wrth gario glo i Fflint.' Meddyliwch, fyse'r gân yna ddim yn cael ei hysgrifennu heddi – achos fydde pobol Health and Safety wedi gofalu na fyse'r asyn bach wedi gorfod cario gormod o lwyth a bydde fe'n dal yn fyw... ac yn dal i gario.

★ ★ ★

Dyma fi'n gweld menyw yn arwain dau gi pert ac yn cer'ed lawr stryd yn Llambed y dydd o'r bla'n. Dyma fi'n mynd lan ati a dweud,

"Esgusodwch fi. Ew, ma' 'dach chi ddau gi sbesial fan hyn. Ife cŵn Jac Russel 'yn nhw?"

"O, nage," medde hi, "cŵn Jones y Chemist 'yn nhw."

★ ★ ★

Roedd yr hen Wil Cae Pella'n cael tipyn o drwbwl gyda bobol y Right to Roam 'ma

– pobol yn cer'ed i bob twll a chornel ym mhob un o'i gaeau fe. Un diwrnod ro'dd Wil yn pwyso ar glwyd ca' dan tŷ yn cael mwgyn bach pan welodd e un o'r heicers 'ma'n cer'ed yn groes y ca' ac yn ceisio darllen map yr un pryd. Yn sydyn, dyma'r cerddwr yn edrych dros ei fap ac yn cael sioc ei fywyd o weld tarw mawr du'n ceibo'r ddaear ac yn gwneud synau eitha od. Wel dyma'r cerddwr bach, eitha crynedig erbyn hyn, yn edrych o'i gwmpas ac yn gweld Wil yn pwyso ar y glwyd a dyma fe'n gweiddi ar Wil,

"Hei, Mr Ffermwr. Ody'r tarw 'ma'n saff fan hyn?"

"Ma' fe lot saffach nag wyt ti fan'na, gwd boi!"

A am Amen

Wel, 'na ni wedi cyrraedd y diwedd bron cyn dechrau.

★   ★   ★

O e'ch chi'n gwbod bod Hippopatomws yn gallu rhedeg yn ffastach na dyn? Pwy oedd y dyn cynta i ffindo mas, tybed?

B am Babi

Dyn yn eistedd ar ei ben ei hunan yn darllen papur newydd ar drên a dyma wraig, efo babi bach, yn dod i eistedd i'r un cerbyd ag e. Ar ôl rhai munude dyma'r dyn yn dweud,

"Wel ma' rhaid i fi weud, ma' babi pert 'dach chi."

"Diolch yn fawr," atebodd y wraig. "Ody ma' fe'n fabi bach pert. Fi'n meddwl y byd ohono fe – gorfod i fi aros deng mlynedd cyn ei gael e, cofiwch."

"Wel," atebodd y dyn, "credwch neu beidio, bues i'n cadw ieir am flynydde a methu cael cywion bach, ond yn y diwedd fe lwyddes i, a chi'n gw'bod beth 'nes i? Newid y ceiliog."

"Wel, wel!" medde'r wraig. "'Na beth od. Newid y ceiliog 'nes inne 'fyd."

★ ★ ★

On'd yw e'n beth od bod pawb ise gwbod beth yw pwyse babi newydd gael ei eni. Does neb byth yn gofyn beth yw ei hyd e.

★ ★ ★

Merch ifanc yn gwthio pram lawr yr hewl ac yn cwrdd â gwraig o dop y stryd. Y wraig yn edrych i mewn i'r pram ac yn dweud, "Wel, jiw, jiw! ma' fe'n edrych yn debyg i'w dad, on'd yw e."

"Ody," medde'r ferch, "ond trueni na fydde fe'n edrych yn fwy tebyg i'r gŵr!"

★   ★   ★

Fe ges i dipyn o sioc wedi i fi ga'l 'y ngeni, pan sylweddoles i 'mod i'n methu siarad na cher'ed am y flwyddyn a hanner gynta.

★   ★   ★

Ma' pobol sy'n dweud wrthoch chi eu bod nhw'n cysgu fel babi bob nos – pobol sy' erio'd 'di ca'l babi y'n nhw fel arfer.

★   ★   ★

Oe'ch chi'n gwbod bod 'na fabi yn cael ei eni bob saith eiliad? Felly, mae 'na wyth yn cael eu geni bob munud ac un arall hanner ffordd allan.

B am Bara

Roedd rheolwr banc yn cerdded bob bore lawr y stryd i'w waith, a bob bore pan fydde fe'n pasio un tŷ arbennig ro'dd e'n gweld y fam drwy'r ffenest, yn colbo'i mab efo torth o fara. Un bore fe gafodd dipyn o sioc, achos y bore arbennig 'ma ro'dd hi'n ei golbo fe efo siocled gato. Felly, fe benderfynodd fod yn rhaid iddo gael gw'bod pam bod hyn yn digwydd, a dyma fynd lan, braidd yn nerfus, at y drws ffrynt i gnoco. Dyma'r wraig yn holi mewn tipyn o hwylie, "Ie, be chi ise?"

"Wel," medde'r rheolwr banc, "rwy'n sylwi bob bore, pan fydda i'n pasio'ch tŷ chi, bo chi'n colbo'ch mab bach efo torth o fara. Bore 'ma, allen i ddim pido â sylwi'ch bod chi'n 'i golbo fe efo siocled gato. Ise gw'bod own i, pam siocled gato heddi?"

"O, wel… ma' fe'n ca'l 'i ben blwydd heddi, chi'n gweld."

B am Bath

Es i at y doctor y dydd o'r bla'n achos own i wedi cael dôs o annwyd ac fe ges i dipyn o siom achos wedodd e nag o'dd dim byd o werth 'da fe at annwyd. Fe wedes i wrtho fe, "Wel bachan, 'ych chi 'di bod yn y coleg am flynydde. Os nad oes 'da chi ryw dablets, oes gyda chi ryw gyngor i fi, 'te?"

"Wel, yr unig beth alla i ei gynnig i chi," medde fe, "yw hyn – llanwch y bath efo dŵr oer, steddwch ynddo fe am hanner awr ac wedyn dewch mas a sefyll ar ben drws y ffrynt, heb eich dillad, am hanner awr arall yn y drafft."

"Jiw, jiw!" wedes i, "fydda i wedi cael niwmonia os gwna i hynny."

"Byddwch, byddwch," medde fe, "ond dw i'n gallu gwella niwmonia."

★ ★ ★

O e'ch chi'n gw'bod bod 'na chwarter pownd o halen ymhob galwn o ddŵr y môr? Pam yn y byd felly 'yn ni'n rhoi halen ar 'yn ffish a chips?

C am Ci

Es i weld Wncwl Tom ac Anti Bet wythnos ddwetha – ma' nhw'n byw ar bwys Llandysul. Pan gyrhaeddes i ro'dd Wncwl Tom mas yn yr ardd hefo caib a rhaw yn gwneud twll yno.

"Wncwl Tomi," holes i fe, "beth 'ych chi'n neud?" a medde fe'n ddagre i gyd,

"Ma Bonso bach wedi marw."

"O, fi'n flin o glywed 'na," atebes i'n deimladwy, "ond gwedwch wrtha i, chi wedi neud dau dwll cyn i chi ddechre ar hwn. Pam 'ych chi wedi neud tri twll i gladdu Bonso?"

"Weda i wrthot ti," atebodd yn drist. "Ro'dd y ddau dwll cynta'n rhy fach, twel."

★　★　★

Odych chi, fel fi, yn cael problem i ffindo bisgedi ma'ch cŵn chi'n hoffi? Ma' fe'n gwneud i fi feddwl yn amal iawn pam na fydde rhywun yn gwneud bisgedi cŵn... sy'n blasu fel coes postman.

★　★　★

Gwraig yn mynd i brynu ci at fridiwr cŵn enwog, ac ar ôl ffansïo ci bach arbennig, dyma hi'n gofyn, "Gwedwch wrtha i, oes pedigri 'da hwn?"

"Pedigri! Pedigri!" atebodd mewn syndod, "ma' gyda hwn gyment o bedigri, 'se fe'n gallu siarad, bydde fe'n gymaint o snob, fydde fe ddim yn siarad â chi a fi."

★　★　★

Oe'ch chi'n gw'bod nad oes gan gi apendics? Felly tro nesa fydd e'n dweud wrthoch chi fod bola tost 'da fe, fydd dim ise i chi fynd ag e at y fet.

★ ★ ★

C am Caru

Moc a Magi wedi bod mas efo'i gilydd y noson cynt a Magi'n ffonio Moc drannoeth ac yn dweud wrtho, "Roedd dy gusanu di neithiwr yn fwyd a diod i fi."

"O, trueni na fyddet ti wedi dweud 'na wrtha i neithiwr," medde Moc," achos allet ti fod wedi cael pwdin 'fyd."

★ ★ ★

Moc yn mynd i gwrdd â tad Magi i holi am gael ei phriodi.

"Nawr 'te," holodd tad Magi iddo'n weddol styrn. "Moc, odych chi'n meddwl y gallwch chi neud Magi 'y merch i'n hapus?"

"Odw, odw. Ro'dd hi'n hysterical o hapus 'da fi n'ithwr, yn sêt gefen y car."

CH am Chwannen

Tad-cu chwannen yn cerdded dros ben dyn pen-moel, efo'i wyrion bach yn ei dilyn ac yn dweud wrthyn nhw,

"'Ych chi'r oes ifanc yn gw'bod dim amdani. Pan own i'ch oedran chi, dim ond llwybyr troed oedd ffor' hyn."

Ch am Chwarae

Mam a Tomi bach ar lan y môr a Tomi'n gofyn i'w fam,

"Mam, Mam, alla i fynd mewn i'r môr i chware?"

"Dim o gwbwl. Edrych mor gas yw'r môr heddi. Paid ti â mynd yn agos ato fe."

"Ond, Mam," medde Tomi, "so hyn yn ffêr. Ma Dad mas yn y môr ers hanner awr."

"Paid ti becso am dy dad, bach," atebodd hithe, "ma 'da fi insiwrans ar dy dad."

CH am Ych a fi...

'Sa i'n lico'r llythyren... CH.

D am Dafad

Ma' Saeson yn hoff o weud jôcs boring iawn am ein perthynas ni'r Cymry â defed, ond ma' nhw'n neud mistêc mawr, achos y gwahaniaeth rhwng dafad a Sais yw bod dafad yn gallu ffeindio'i ffordd adref.

D am Deintydd

Fues i gyda deintydd wythnos ddwetha... Ew! Ma nhw'n ddrud iawn. Pan fydd y deintydd yn gweud wrthoch chi am agor 'ych ceg mae gofyn i chi agor 'ych walet yr un pryd.

★ ★ ★

Ond fe wedes i wrth 'y neintydd i'r dydd o'r blaen,

"Drychwch 'ma," wedes i wrtho fe, "ma' 'nannedd i'n iawn, er nad 'wy i byth yn eu brwsho nhw, dwy i byth yn golchi 'ngheg, dwy i byth yn iwso breath freshner, 'wy'n bwyta garlleg bron bob dydd, a does 'da fi ddim anadl drewllyd."

"Wel, mae eisiau llawdriniaeth arnoch chi," wedodd e wrtha i.

"Llawdriniaeth?" wedes i. "Pa fath o lawdriniaeth?"

"Ar eich trwyn chi!" medde fe.

D am Dadi

Tomi bach yn gwneud ei waith cartre ac yn gofyn i'w dad,

"Dadi, odych chi'n gw'bod ble ma'r Alps?"

Y tad, gan ddal i ddarllen 'i bapur, yn ateb, "Gofyn i dy fam. Hi sy'n gw'bod ble ma' popeth yn y tŷ 'ma."

★ ★ ★

Tomi'n rhedeg i'r tŷ gan weiddi... "Mam! Mam! Chi'n gw'bod y ffenest fawr 'na sy yng nghefen y tŷ?"

"Ie?" atebodd ei fam yn ofnus, "ti ddim wedi 'i thorri hi, wyt ti?"

"Nagw, Mam," atebodd e, "ond fi wedi torri'r un fach sy ar ei phwys hi."

"Wel, shwt 'nest ti na te?" "Fe dorres i hi wrth drio symud yr ysgol ac fe aeth hi'n drech na fi."

"Wel, fe fydd yn rhaid i ti ddweud wrth dy dad,

cofia," rhybuddiodd ei fam e.

"O," medde Tomi, "ma' fe'n gw'bod yn barod, achos ma' fe'n hongian wrth y cafan."

★ ★ ★

Tomi a Tim yn mynd i'r ysgol y diwrnod cynta ar ôl gwylie'r haf a Tim yn gweud, "Ma' 'da fi gi newydd."

"Hy," medde Tomi, "so 'na'n ddim byd mawr, ma' 'da fi DADI newydd!"

★ ★ ★

Oe'ch chi'n gw'bod mai Reginald Dwight yw enw iawn ELTON JOHN?

Erbyn meddwl, mae e'n edrych yn fwy tebyg i Reginald Dwight.

Dd am ...

Nawr os 'ych chi'n gw'bod am jôc sy'n dechre gyda'r llythyren Dd... gwedwch hi wrth 'ych hunan... achos sai'n gw'bod am ddim un.

E am Enwog

Roedd Dai'n ffermio ar 'i ben 'i hunan ar fferm fach rhwng Llambed a Llanybydder a do'dd e heb fod yn bell o gartre erioed yn ystod ei oes. Ond pan oedd sioe Smithfield yn ei hanterth fe benderfynodd yr hoffe fe fynd lan i'r sioe, a bant ag e. Yn ffodus, neu'n anffodus, ro'dd pawb yn dweud bod Dai'n debyg iawn, o ran ei olwg, i'r canwr Tom Jones. Wedi cyrraedd Llundain, ro'dd llawer o bobol yn edrych arno'n ddigon od.

Y noson gynta, tua deg o'r gloch, pan oedd Dai yn newid i fynd i'r gwely, dyma gnoc ar ddrws 'i stafell a dyma Dai'n ateb yn ei long johns. Pan agorodd y drws ro'dd 'na ferch hardd iawn, mewn sgert mini, yn aros yr ochr arall i'r drws a dyma Dai yn dweud… "Yes, can I help you?"

A dyma'r ferch yn holi, "Excuse me, are you Tom Jones, the singer?"

"O no, I'm Dai, from Lampeter, a farmer."

"O," medde'r ferch a bant â hi.

Yn ôl â Dai am ei wely, a phan oedd e hanner ffordd iddo, dyma gnoc arall ar y drws a Dai'n mynd i'w ateb. Wedi agor y drws y tro hyn, gwelodd ferch bert unwaith 'to, blonden, mewn hot pants. Dyma hon yn gofyn yr un peth iddo fe, "Excuse me… are you Tom Jones the singer?"

"No, no, I'm Dai, a farmer from Lampeter."

Ar ôl clywed hyn, bant â'r ferch, a 'nôl â Dai am ei wely… Pan oedd e'n dechrau cynhesu o dan y dwfe… dyma gnoc ar y drws am y drydedd waith a Dai'n gorfod codi unwaith 'to i ateb, a heb fod mewn hwyliau rhy dda erbyn hyn. Dyma fe'n agor y drws, a chyn iddo gael gair o'i ben, dyma ferch bert arall, y berta o'r dair, yn gwisgo bron dim byd… yn gofyn i Dai, "Are you Tom Jones the singer?"

Torrodd Dai mas i ganu… "O give me Delilah, I just can't take any more."

E am Eira

Roedd John wedi bod yn gweithio fel sêlsman i gwmni'n gwerthu bwyd anifeiliaid, a'r unig broblem oedd fod ganddo feistr caled. Yn ystod y gaea bu'n rhaid i John fynd i'r Alban i gynhadledd efo'r cwmni.

Y bore olaf, pan ddihunodd John yn ei westy, cyn cychwyn am adref, cafodd sioc pan edrychodd allan drwy'r ffenest. Ro'dd eira wedi cau'r lle, lluwchfeydd ymhobman. Dyma fe'n ffonio ei feistr i ddweud na alle fe ddod adref, efalle am rai diwrnode. Ateb y mistir oedd, "Paid gofidio dim. Tra bo ti 'na, cymera dy wylie haf, nawr."

Pam fod pawb yn gwneud *dyn* eira?...
Welwch chi neb yn gwneud *menyw* eira.

O e'ch chi'n gw'bod fod pegwn y de'n oerach na phegwn y gogledd? Felly beth yw'r holl ffws sy gan bawb am fynd i begwn y gogledd?

F am Ficer

R oedd gan Jones, y ficer, berllan afalau arbennig ger y ficerdy ac ro'dd e'n meddwl y byd ohoni. Un hydref, ro'dd e'n siŵr fod rhai fale'n diflannu. Felly, un noson, pan oedd e'n cerdded o dan un o'r coed, fe syrthiodd afal ar ei ben ac wrth edrych i fyny dyma fe'n gweld Tomi'n eistedd ar gangen ar y goeden.

"Reit," medde'r ficer, "dw i wedi dy ddala di. Own i'n meddwl fod yna fale'n diflannu a phan wela i dy dad fe fydda i'n dweud y cwbwl wrtho fe."

"O, Ficer, gallwch chi ddweud wrtho fe nawr, achos ma' fe lan fan hyn gyda fi!"

★ ★ ★

R oedd yna bregethwr ifanc wedi dod i ardal newydd i fod yn weinidog ac un diwrnod dyma fe'n cwrdd â ficer y plwy.

"Dwedwch wrtha i," holodd y ficer, "ydy aelodau'r eglwys yn weithgar iawn 'dach chi?"

"Ydyn, maen nhw'n weithgar iawn. Mae eu hanner nhw'n gweithio gyda fi a'r hanner arall yn gweithio yn fy erbyn i."

★ ★ ★

Oe'ch chi'n gw'bod fod tua ugen y cant o sbwriel y byd i gyd yn cael ei gynhyrchu gan yr Americanwyr? 'Na fe, ma'n rhaid iddyn nhw ga'l bod â mwy o bob dim na neb arall.

Ff am Ffermwr

Roedd Dafi Jones yn byw ar ei ben ei hun ar fferm anghysbell allan ym mherfeddion Ceredigion. Un noson oer o hydref dyma'r ffôn yn canu, ar ôl i Dafi fynd i'w wely, a dyma fe'n gorfod codi i fynd lawr stâr yn ei long johns ac ateb y ffôn.

"Ie?" medde Dafi, "pwy sy 'na?"

"Sori 'ych poeni chi adeg hyn o'r nos, ond Davis y plismon sy 'ma. Ma'ch gwartheg chi i gyd allan ar yr hewl."

"Jiw, jiw!" medde Dafi, "sdim gwerth i chi ffonio fi. Ffoniwch y rheolwr banc, achos fe sy'n berchen arnyn nhw i gyd erbyn hyn!"

* * *

Rhoddodd Dafi hysbyseb yn y papur bro yn hysbysebu ei fod eisiau gwraig, a dyma sut y geiriodd e'r hysbyseb –

Yn eisiau, gwraig sy'n berchen tractor.

P.S. Os gwelwch yn dda, anfonwch lun y tractor.

* * *

Gofynnodd dyn o'r BBC i Dafi yn mart Tregaron, beth fydde fe'n neud pe bai e'n ennill ar y loteri. "O, weda i wrthoch chi nawr beth fydden i'n neud... cadw 'mlan i ffermo nes cwple'r arian."

* * *

Fe landodd dyn o'r ministri ar fuarth fferm Dafi un diwrnod gan ddweud wrtho ei fod yn gwneud *spot check* o bob record oedd ganddo...

"O, dim problem o gwbwl, dewch gyda fi," medde Dafi.

Ar ôl cyrraedd y tŷ, dangosodd Dafi'r cwbwl oedd ganddo i ddyn y ministri, sef dwy record o Trebor Edwards ac un o Dai Jones.

★　★　★

Roedd gan Dafi darw go arbennig ac un diwrnod ro'dd y gweinidog wedi galw ar ei ymweliad blynyddol i weld Dafi, a dyma fe'n gofyn iddo, "Gwedwch wrtha i, beth yw gwerth y tarw pert 'na sy gyda chi yn y ca?"

"I ddyn y dreth incwm," medde Dafi, "ma' fe'n werth tua mil o bunnoedd. Ond 'se fe'n cael 'i ladd 'da mellten… fyse fe'n werth tair mil, o leia."

★　★　★

Fe gwrddodd Dafi â dyn dierth yn rhedeg â'i wynt yn ei ddwrn ar yr hewl un dydd a dyma'r dyn yn gofyn i Dafi,

"Fydde gwahaniaeth 'da chi 'sen i'n cymryd short cut drwy eich cae chi, achos rwy'n hwyr i ddala'r bws deg o'r gloch?"

"Iawn da fi, ond cofiwch un peth," medde Dafi, "os gwelith y tarw chi, falle y dalwch chi'r bws hanner awr 'di naw!"

★　★　★

O e'ch chi'n gw'bod fod 'na rai miliyne o goed yn tyfu o'r newydd bob blwyddyn o achos bod 'na wiwerod yn anghofio ble ma' nhw 'di claddu eu cnau…? Mae'r byd 'ma'n nuts, on'd yw e.

G am Gwraig

R oedd John mewn tipyn o benbleth ynglŷn â phwy i briodi. Y broblem oedd ei fod e'n caru hefo dwy, un yn ferch ifanc hardd iawn, ond ei bod heb lot o arian, a'r llall yn weddw ganol oed, gyfoethog. Er mwyn ceisio datrys y broblem aeth i weld ei Wncwl Dic am gyngor. Roedd ei Wncwl Dic yn hen lanc, tua'r trigain oed, a dyma John yn gofyn iddo ar ôl dweud hanes y ddwy,

"P'un o'r ddwy 'ych chi Wncwl yn meddwl ddylwn i briodi 'te?"

"Heb os nac oni bai," medde'i wncwl wrtho, "prioda'r ferch ifanc bert. O ie, a dere â chyfeiriad y weddw i fi."

* * *

M ae unrhyw ddyn sy'n dweud wrth ei wraig ei bod hi'n methu cymryd jôc yn anghofio ei bod hi wedi ei gymryd *e*.

* * *

Beth yw'r gwahaniaeth rhwng gwraig a ci?...
    Wel, mae'r ci'n fwy tebygol o ddod atoch chi pan alwch chi fe.

* * *

Dau ŵr priod yn cwrdd â'i gilydd un dydd a'r cynta'n dweud, "Wel, own i'n falch i gael dod allan o'r tŷ y bore 'ma, achos ro'dd hi'n mynd mlaen a mlaen am y freuddwyd anhygoel ga'th hi neithiwr, a hithe'n briod â miliwnydd."

"Ti'n lwcus," medde'r llall, "achos ma' 'ngwraig i'n meddwl 'i bod hi'n briod â miliwnydd drwy'r amser."

G am Golff

Yn bersonol dwy i'n gweld golff yn debyg i ffermio – chi'n gorfod cerdded o amgylch caeau a cholli arian ar yr un pryd.

* * *

Roedd yr hen Wil wedi riteiro ac wedi prynu tŷ yn Aberystwyth, drws nesa i'r clwb golff. Un bore dyma lle ro'dd Wil yn pwyso ar gât yr ardd yn ca'l smôc ac yn edrych ar ddyn yn trio bwrw pêl allan o'r byncer. Ar ôl codi tywod o amgylch ei ben am ryw bymtheg ergyd dyma fe'n bwrw'r bêl a hithe'n disgyn ar y gwyrdd ac yn rolio i mewn i'r twll. Wrth weld hyn, dyma Wil yn dweud wrtho'i hun... "Ma' fe'n mynd i ga'l cythrel o job i'w cha'l hi mas o fan'na."

G am Gwaith

Roedd Shanco wedi mynd un diwrnod am gyfweliad am job ar seit adeiladu a dyma fe'n cael ei alw i mewn at y fforman am ei gyfweliad. Ar ôl cael tipyn o'i hanes, ble roedd e'n byw ac yn y blaen, dyma'r fforman yn gofyn iddo oedd e'n gallu gwneud te.

"Odw, fi'n gamster am wneud te," atebodd Shanco.

"Da iawn," medde'r fforman, "nawrte, ydych chi'n gallu dreifo'r dymper?"

"Odw, odw, dim problem," atebodd Shanco unwaith eto. "Gwneud te a dreifo dymper... Wel mae'n rhaid bod 'da chi debot anferth!"

★ ★ ★

O e'ch chi'n gw'bod bod y teledu cynta gafodd
ei greu gan John Logit Baird yn 1924 wedi
ei wneud o gardfwrdd, darnau o bren, nodwyddau
a chortyn? Erbyn meddwl... dwy'n credu i fi fod
yn berchen ar deledu fel 'na unwaith... ie, rhacsyn
go iawn.

G am Gweinidog

U n dydd Sul ro'dd y Parch. Jonathan Jones
o Aberdâr ar ei ffordd i fyny o'r cymoedd i
bregethu yng Nghei Newydd, a doedd e ddim yn
rhy siŵr o'i ffordd. Rhywle tua Talgarreg dyma fe'n
gweld crwt yn cer'ed ar yr hewl a dyma fe'n stopio
i holi'r ffordd iddo.

"Esgusodwch fi," meddai'r parchedig, ond allet
ti helpu fi a dangos y ffordd i Gei Newydd?"

"Galla," atebodd y crwt, "a dweud y gwir fi ar
y ffordd i weld Mam-gu yn Synod Inn ac os ga i
lifft 'da chi i fan'ny, weda i wrthoch chi'r ffordd i
Gei Newydd." Ar ôl i'r crwt fynd i mewn i'r car fe
ddechreuodd ofidio braidd, wrth weld golwg digon
rhyfedd ar y dyn oedd yn gyrru'r car, a medde fe,

"Esgusodwch fi'n holi, ond pam 'ych chi 'di

gwisgo'ch coler tu ôl 'mlaen, syr?"

"O," medde'r parchedig, "fel 'na mae gweinidogion yn gwisgo eu coleri."

"Beth yw gweinidogion 'te?" gofynnodd y crwt wedyn.

"Ti'n gweld," esboniodd y gweinidog, "fy job i'n syml yw ceisio dangos y ffordd i blant fel ti sut mae mynd i'r Nefoedd."

"O, sdim gobeth 'dach chi neud 'ny," meddai'r crwt.

"Pam ti'n gweud hynny, 'te?" holodd y gweinidog.

"Achos i ddechre, so chi hyd yn oed yn gw'bod y ffordd i Gei Newydd."

H am Hat

Dwy wraig, gweddol gyfarwydd â'i gilydd, yn cwrdd ym marchnad Clarach un dydd Sul ac yn dechre sgwrsio. Yn gynta dyma Marged yn holi,

"Shwt 'ych chi heddi 'te?"

A Myfanwy yn ateb, "O, fi'n teimlo fel 'sen i yn y dymps heddi."

"Wel, weda i wrthoch chi nawr, pan fydda i yn y dymps, dw i bob amser yn mofyn hat newydd."

"A!" meddai Myfanwy, "'na lle 'ych chi'n eu cael nhw, ife?"

H am Hanes

Daeth John bach adre o'r ysgol un diwrnod yn edrych yn eitha penisel a dyma'i dad yn holi beth oedd yn bod.

"Fe ges i gosb 'da Mr Jones heddi," atebodd John, "achos bo fi 'di methu ateb cwestiwn mewn gwers hanes."

"Beth oedd y cwestiwn, John bach?"

"Gofynnodd e i fi ble roedd Olifer Cromwell wedi ca'l ei gladdu a down i ddim yn gw'bod."

"Ddylet ti ddim fod wedi cael dy gosbi am fethu ateb cwestiwn mor anodd. Paid â becso, John bach, fe a' i weld Mr Jones ar ôl te."

Bant a fe ar ôl te i weld yr athro.

"Nawrte," medde'r tad, "wi'n deall bo chi 'di rhoi cosb i John bach ni heddi am fethu ateb y cwestiwn, ble cafodd Olifer Cromwell ei gladdu. 'Sdim synnwyr o gwbwl yn y peth."

"Wel," meddai'r athro, "fe ddyle fe fod yn gw'bod yr ateb achos own i wedi bod dros yr hanes wythnos ddiwethaf. Ma'n rhaid nad oedd e'n talu sylw."

"Edrychwch 'ma," atebodd y tad, "'yn ni'n byw dros filltir o'r hewl fawr a dyw John ddim yn gweld pob angladd sy'n pasio."

★ ★ ★

O e'ch chi'n gw'bod, yn dechnegol gywir, mai blodyn yw banana ac nid ffrwyth? Felly, tro nesa byddwch chi ise rhoi blode i'ch cariad, does dim o'i le mewn rhoi banana iddi. Ond cofiwch un peth... os gewch chi slap 'da hi, p'idwch beio fi.

I am Idwal

H elô. Fi yw Idwal, ie chi'n siŵr o fod yn 'y nabod i. Falle bo chi 'di 'ngweld i ar y teledu neu yn Aberystwyth, achos fi'n mynd yn amal i Aberystwyth. Yn od iawn, yn Aberystwyth ges i 'ngeni, yn y materniti unit yn ysbyty Bronglais, achos o'dd Mami yno ar y pryd yn disgwyl geni babi, a fi yw e – y babi. Own i ddim yn fabi pert iawn, achos pan ddalodd y doctor fi lan, ar ôl i fi ga'l 'y ngeni, fe roddodd e slap i Mami yn lle fi, a wedyn pan dda'th 'nhad i 'ngweld i, fe wedodd e wrth Mami,

"Ma' hwn yn edrych yn fwy fel jôc na babi."

"Dy jôc di yw e," wedodd hithe.

Fe redodd e bant i Awstralia drannoeth a welon ni mohono fe byth wedyn. Wel, weles i mohono fe'r tro cynta, achos own i'n cysgu ar y pryd. Y tro d'wetha clywodd Mami ei hanes, o'dd gyda fe ffarm cangarŵs ar bwys Sydney. 'Yn ni ddim yn gw'bod pwy yw Sydney, cofiwch – dyn drws nesa, siŵr o fod.

Own i'n fabi dda'th 'mla'n yn glou iawn, achos mi own i'n cerdded yn chwe mis, wel oedd rhaid i fi, achos torrodd gwaelod y pram. Cofiwch, dyw hi ddim yn rhwydd bod yn unig blentyn. Own i'n blentyn unig iawn, ar brydie, achos do'dd dim ffrindie 'da fi heblaw am Tomi, y tedi bêr ges i'n anhreg Nadolig 'da Anti Magi pan own i'n dair oed. Ond fe ges siom ofnadw pan own i tua deg oed, achos fe ddwgodd Billi, mab drws nesa, fe ar noson tân gwyllt a rhoi roced fawr lan 'i ben-ôl e. Fe gafodd ei saethu i orbit a weles i byth mohono fe wedyn. Fe fydda i'n meddwl yn amal, ma' fe siŵr o fod yn dal i fynd rownd lan 'na ac yn paso'n tŷ ni, weithie, siŵr o fod.

Ond i fynd 'nôl at Aberystwyth, fe fues i a Felicity yn Aber heddi, yn y 'thri whiler', a ges i 'bach o broblem ar y rowndabowt 'na sy rhwng gwesty Llety Parc a'r archfarchnad. Yn sydyn reit dyma hen blisman yn stopo fi a gofyn beth own i'n trio neud, a wedes i,

"Beth 'ych chi'n feddwl?"

"Wy 'di bod yn 'ych gwylio chi, a chi wedi mynd o amgylch y rowndabowt 'ma hanner cant o weithie!"

"Wel," wedes i wrtho fe boio, "o'dd raid i fi achos o'dd 'da fi indicator wedi stico."

Dilynodd e fi wedyn lawr i'r dre. Trwy lwc o'dd Felicity mewn hwylie da achos o'dd hi'n mynd i brynu dillad priodas yn siop OXFAM ar gyfer priodas 'i chwa'r – ma' hi'n priodi dydd Sadwrn â bachan o Abertawe. Wel yn Abertawe ma' fe nawr, ond ma' fe'n dod mas o'r jâl dydd Mercher. Ma' babi 'da nhw'n barod. Fel 'na ma nhw heddi, ma' rhaid ca'l babi cyn priodi neu chi ddim *with it*. 'Na fe, *without it* fues i erio'd.

Anghofia i byth, diwrnod bedyddio'r babi. Nawr o'dd e fod i ga'l 'i fedyddio yn Jason ond wrth i'r ficer roi dŵr ar 'i ben e, fe giciodd y babi fe yn 'i lygad, a dyna'r babi cynta erioed i ga'l 'i fedyddio yn "fflipin ec"!

Ma' rhaid i fi fynd nawr achos wy 'di addo mynd â Felicity mas i swper a 'wy 'di penderfynu mynd â hi mas i ga'l pitsa yn yr ardd gefen. 'Wy'n lico rhoi syrpreis bach iddi weithe.

Hwyl i chi nawr. Os gwelwch chi fi'n rhywle, cofiwch wafo… HWYL, IDWAL.

★ ★ ★

Oe'ch chi'n gw'bod bod llew yn gallu b'yta 75 pwys o gig mewn un pryd? Erbyn meddwl, dim ond cinio a swper fyddwn i iddo fe.

J am Jam

Roedd Tomi bach un diwrnod wedi gorfod mynd i aros at 'i Anti Jen ar ôl ysgol, am fod 'i fam e'n mynd i rywle. Dyma Anti Jen yn gofyn iddo beth fydde fe'n hoffi 'i ga'l i de.

"Wyt ti'n hoffi bara, Tomi?"

"Odw, diolch."

"Wyt ti'n hoffi menyn ar y bara?"

"Odw, diolch, Anti."

"Wel, 'wy'n hoffi dy glywed ti'n dweud diolch; da iawn ti, Tomi."

"Os 'ych chi eisie 'nghlywed i'n 'i weud e unwaith 'to, rhowch jam ar y bara menyn 'na."

★ ★ ★

J am Job

Fe gafodd Shanco job newydd i weith'o ar ffarm, er nad oedd e'n gw'bod dim am ffermio. Y diwrnod cynta dyma'r meistr yn dweud wrtho fe,

"Nawr Shanco, 'wy ise i ti fynd i hongian y gât 'ma yng ngwaelod ca' dan tŷ."

Bant â Shanco a'r gât ar ei gefen a dda'th e ddim 'nôl am ddwy awr.

"Bachan, buest ti'n ofnadw o hir," medde'r meistr.

"Sori, meistr, ond fe ges i 'bach o broblem. Ffiles i godi'r gât yn ddigon uchel i'w hongian hi, felly fe dwles i hi i'r afon a'i boddi hi."

Fe laniodd Harri yn jâl Abertawe am 'i fod e 'di twyllo pobol y dreth incwm. Ond, ar ôl rhyw wythnos yno fe benderfynodd Harri 'i fod e'n mynd i ddianc drwy neud twnnel. Ar ôl chwe mis o waith caled, fe dda'th e mas i ole dydd a dianc – yr unig drueni o'dd, mai dim ond tri mis o ddedfryd ga'th e yn y lle cynta.

★ ★ ★

Oe'ch chi'n gw'bod ar ôl i neidr fyta broga 'i bod hi'n cym'ryd dau ddiwrnod iddi hi ei dreilio fe? Erbyn meddwl fe ges i ffowlyn fel'na dydd Sul dwetha.

L am Lorri

Un diwrnod wrth i Wil yrru ei lorri i lawr yr M4, fe gafodd sioc ei fywyd pan wna'th rhywun gnoco ffenest drws ei gab. Dyma fe'n sylwi'n syth bod 'na fachan tu fas, yn sefyll ar 'i dra'd ar gefn ei fotor beic. Ar ôl i Wil agor y ffenest dyma'r dyn yn gofyn oedd gan Wil fatsen neu leiter er mwyn iddo ga'l cynnu ei sigarét.

"'Drychwch 'ma,"medde Wil, "'ych chi'n neud peth dansierys iawn."

"Jiw, jiw, nagw. Dim ond pump wy'n smoco bob dydd."

L am Lwc

Mae llawer yn dweud bod cario troed cwningen yn gallu dod â lwc i chi, ond ma' fe'n anlwcus iawn i'r gwningen, on'd yw e.

★ ★ ★

Mae'n rhyfedd fel ma' lwc yn dilyn rhai pobol, ac anlwc yn dilyn eraill. Rown i'n nabod bachan o'dd yn anlwcus ofnadw – pan lynce fe asprin o'dd e'n saff o ga'l pen tost.

Fe gollodd ei wallt i gyd unwaith ac fe a'th e mas i brynu wig ac fe a'th honno'n wyn dros nos.

A'th e i garu wedyn gyda menyw. I fod yn deg, doedd hi ddim yn bert iawn – a waeth na 'ny dim ond un goes oedd ganddi, un fraich ac un llygad.

Pan a'th e â hi adre i gwrdd â'i rieni dyma 'i dad yn sibrwd yn 'i glust a gofyn iddo pam yn y byd 'nath e ddewis menyw mor ofnadw o salw.

"Dad," medde fe, "'sdim angen i chi siarad mor dawel, ma' hi'n drwm 'i chlyw 'fyd."

LL am Llifio

Fe brynodd Shanco *chainsaw* newydd sbon mewn siop yn Aberystwyth. Felly, bore trannoeth, bant ag e ar ôl brecwast i drio'r llif newydd mas. A'th e draw i'r goedwig i dorri coed tân. Ond erbyn hanner dydd dyma fe'n mynd 'nôl, yn chwys domen, bob cam i'r siop yn Aberystwyth. Ro'dd e mewn hwylie drwg ofnadw, a dyma fe'n rhoi y llif ar y cownter a dweud wrth y siopwr nad oedd y rhacsen dda i ddim, ei fod e 'di bod wrthi drwy'r bore a dim ond 'di torri digon o goed tân i lanw un bwced.

"Wel, 'sa i'n deall y peth," atebodd y siopwr, gan gydio yn y llif a thynnu'r cortyn a starto'r llif yng nghanol y siop.

Mewn syndod, dyma Shanco'n holi, "Bachan, bachan, beth yw'r sŵn 'na?"

★ ★ ★

G wraig yn gwaeddi ganol nos ar ei gŵr,
"Fi'n siŵr bod lladron lawr stâr, John. John!
Wyt ti ar ddihun?"

"Nagw," medde'r gŵr.

Ll am Llunden

D ai a Wil yn mynd ar wylie bach i Lunden am
y tro cynta, a'r ddau yn cer'ed lawr h'ibo palas
Buckingham ac yn gweld y *Queen's Guards* yn sefyll
tu fas. Dyma Dai'n troi at Wil a dweud,

"Jiw, jiw, edrych, Wil, ar hwnna'n sefyll fan'na.
On'd oes job ofnadw 'da fe, yn sefyll fel delw drwy'r
dydd yn yr un fan."

"Ti'n eitha reit," medde Wil. "Diawch, 'yn ni'n
dau'n lwcus mai gw'itho ar yr hewl i ni."

★   ★   ★

D yma rywun yn gofyn i Dai ar ôl iddo fe ddod
adre o Lunden,

"Sut le gest ti i aros yn ninas fawr Llunden,
Dei?"

"O, eitha reit. Yr unig fai oedd bod y stafell yn
ofnadw o fach, bron dim digon o le i droi rownd.
Weda i wrthot ti," medde Dai, "'sen i 'di digwydd

marw 'na, dim ond hoelio'r drws yn ei le fydde ise iddyn nhw neud a rhoi dwy handl bob ochor iddo."

Ll am Llew

Dau lew 'di dianc ac yn cer'ed lawr un o strydoedd Caerdydd, ac un yn dweud wrth y llall, "Ew! Mae hi'n dawel 'ma heddi, on'd yw hi?"

★ ★ ★

Oe'ch ch'n gw'bod mai "OO–AH" mae buwchod yn 'ddweud yn Thailand? Ma' rhywun siŵr o fod yn godro rheina ffordd rong.

M am Motorbeic

Fe stopodd gyrrwr lorri i gael cinio un diwrnod mewn tafarn bach yn y wlad a phan oedd e ar hanner byta ei fwyd dyma hanner dwsin o *skinheads* ar fotor-beics yn stopo a dod i mewn i'r dafarn. Ar ôl prynu rhywbeth i'w yfed dyma nhw'n gweld y dyn bach 'ma, oedd erbyn hyn yn edrych braidd yn nerfus, wrth ei ginio. Am mai dim ond fe oedd yn y dafarn, dyma nhw'n mynd ato fe a dechre ei fwlian – un yn byta ei tships e ac un arall yn mynd i'w boced a dwyn arian o'i waled. Yn ei ofon dyma'r boi bach yn rhedeg allan ffwl pelt am ei fywyd. Ar ôl mynd 'nôl at y bar dyma un ohonyn nhw'n dweud wrth y tafarnwr,

"Oedd hwnna ddim lot o ddyn, oedd e?"

Wrth i'r tafarnwr gasglu gwydr a phlât oddi ar y bwrdd wrth y ffenest, dyma fe'n dweud wedyn,

"Na, a doedd e ddim lot o ddreifer, chwaith, achos ma' fe newydd rifyrsio'i lorri dros chwech o fotor-beics."

M am Mam

Y person pwysica i bawb yn y byd!

★ ★ ★

Tomi'n dod adre o'r ysgol un dydd ac yn gofyn cwestiwn lletchwith i'w fam, sef o ble oedd e 'di dod i ddechre.

"O, deryn mawr ddaeth â ti a dy ollwng di yn yr ardd," oedd ei hateb.

"Ac o ble daeth Dad i ddechre 'te?"

"Y postman ddaeth â dy dad a'i roi e i mewn drwy'r drws."

"O, ie, ac o ble dda'th 'yn chwa'r fach i?"

"Fe brynon ni dy chwa'r fach yn Tesco."

"Wel," medde Tomi, "'yn ni'n deulu od iawn."

"Pam wyt ti'n dweud 'na 'te Tomi?" holodd ei fam e.

"Achos do's neb o'n teulu ni wedi cael 'i eni'n naturiol, oes e?"

★ ★ ★

Tom a'i fam yn cer'ed lawr y stryd i fynd i siopa ac yn cwrdd â'r ficer, ac yn ca'l sgwrs 'da fe am rai munude. Ar ôl i'r ficer fynd ar ei ffordd, dyma Tomi'n gofyn i'w fam,

"Pwy o'dd hwnna?"

"Y ficer. Fe oedd y dyn briododd fi, t'wel."

"Os ma' hwnna briododd chi, Mam, pwy yw'r bachan 'na sy'n byw 'da ni, a fi'n galw 'Dad' arno fe?"

★ ★ ★

Stori arall am Tomi a'i fam yn mynd ar drip Ysgol Sul i Borthcawl. Ar ôl cyrraedd adre dyma fe'n rhedeg lan llofft i stafell wely 'i fam-gu ac yn dweud wrthi,

"Fi 'di prynu presant i chi, Mam-gu."

Ar ôl iddi weld beth oedd e 'di 'i brynu iddi, dyma hi'n dweud,

"Diolch yn fawr i ti, bach, ond dwed pam wyt ti 'di prynu pecyn o farblis i fi?"

"Wel," medde Tomi, "fe glywes i Mam yn dweud 'ch bod chi 'di colli'ch rhai chi."

★　★　★

O e'ch chi'n gw'bod mai y pâr cynta erioed i ymddangos yn y gwely gyda'i gilydd ar y teledu oedd Fred a Wilma Flintstone o'r Flintstones?

Do's dim byd i'w weud ond... IABA!... DABA!... DOO! – oes e?

N am y Nadolig

Y Nadolig yw'r amser pan 'ych chi'n ca'l y teulu i gyd o amgylch y ford ac yn dweud wrth 'ych hunan, 'sa i'n 'nabod 'u hanner nhw.

★　★　★

Tomi yn mynd at ei dad, cyn y Nadolig, ac yn dweud wrtho fe,

"Dad, chi'n cofio fi'n dweud bo' fi ise beic newydd Nadolig 'ma?"

"Ie?" meddai'i dad."

"'Sa i'n moyn beic nawr."

"Ti ddim yn moyn beic? Pam 'ny, Tomi?" holodd ei dad.

"Achos fi newydd ffindo un newydd dan gwely, Dad."

★　★　★

Siôn Corn yw'r unig ddyn sydd â diddordeb mewn sane gwag.

★　★　★

Dim ond Siôn Corn sy'n cael gwahoddiad i dorri i mewn i dŷ pawb ac ar ôl cael sherry bach bron ym mhobman does dim rhyfedd nad oes neb yn 'i weld e am weddill y flwyddyn.

O am Oen

Saesnes newydd symud i mewn i gefn gwlad ac am neud 'i gore i fod yn rhan o'r gymdogaeth.

Adeg gŵyl Ddewi dyma hi'n mynd i mewn i siop y bwtsher lleol a gofyn,

"Lice fi ga'l pen oen achos fi *want to* neud *soup* i Dewi Sant."

A dyma'r bwtsher yn gwaeddi ar Ianto oedd yn gw'itho yn y cefen,

"Ianto, dere â pen o'n i'r wraig 'ma i neud cawl."

Ond dyma'r wraig yn torri ar ei draws gan ddweud, "Alle fi ca'l *English lamb,* plîs?"

"Sertanly," atebodd y bwtsher. "Ianto, tynna 'i frêns e mas!"

O am Oed

Merch ifanc yn codi bob bore tua saith o'r gloch ac yn mynd allan i jogo. Bob bore, fe sylwai fod yna hen ŵr yn eistedd tu allan i'w dŷ, yn gwenu wrth godi ei law arni. Felly, un bore, dyma hi'n aros i siarad ag e gan ddweud,

"Ma'ch gweld chi'n eistedd allan bob bore'n gwenu a chodi'ch llaw arna i yn codi 'nghalon i. Ma'n rhaid eich bod chi'n hen ŵr hapus iawn."

"Wel, odw," medde fe, "chi'n gweld, fi'n yfed chwe poteled o wisgi bob dydd ac yn smoco tua cant o ffags a fi ar 'y mhumed wraig. Odw, fi'n hapus iawn."

"Esgusodwch fi'n holi, faint yw eich oed chi?" holodd y ferch.

"O, sefwch chi nawr," medde fe, "fi'n dri deg naw."

O am Organ

Capel bach a rhyw ugen o aelode oedd capel Rhiwgaled, ac ers cyn cof ro'dd y canu yno wedi bod yn ddigyfeiliant. Ond dyma un o'r blaenoriaid yn prynu organ fach ail law, mewn sêl, yn anrheg i'r capel.

Un prynhawn Sadwrn ac ar ôl ei rhoi'n barchus yn ei lle, sylweddolwyd nad oedd neb yn y capel yn gallu 'whare'r peth ond fe wedodd Dai Caedomen y galle fe drial 'i 'whare hi am ei fod e 'di cael dwy wers pan oedd e'n grwt. Y Sul cynta i'r organ fod yn ei lle a Dai'n eistedd wrth yr organ daeth un o gymdogion Dai i'r capel yn gynnar i weld yr organ a dyma fe'n gofyn i Dai, beth oedd y gwahaniaeth rhwng yr allweddelle gwyn a'r rhai duon oedd ar yr organ.

"Bachan, wyt ti ddim yn gw'bod 'te? Fe weda i wrthot ti nawr," medde Dai. "Ti'n 'whare'r rhai

50

gwyn ar ddydd Sul t'wel', a ti'n whare'r rhai duon amser angladde."

★ ★ ★

Oe'ch chi'n gw'bod bod yr hen athletwyr Groegaidd yn arfer cystadlu heb ddillad, wel ie, yn byrcs? Wel, fydden i ddim ise bod yn y tîm relay!

P am Paffio

Glywoch chi erioed am Tomi Tomos? Wel oedd e'n baffiwr enwog. Doedd e ddim yn enwog am ennill gorneste ond yn hytrach am ei fod e 'di colli pob un.

Ar ôl cyrraedd un neuadd focso dyma Tomos yn gweud wrth ei hyfforddwr ei fod e'n gweld y ring yn bell iawn o'r stafell newid.

"Paid becso," atebodd ei hyfforddwr, "fe fyddi di'n cael dy gario 'nôl i dy stafell."

Bron ymhob gornest fe fyddai'n iwso mwy o'r stretsiar nag oedd e o'r stôl yng nghornel y ring. 'Na'th e erioed orfod talu'r deintydd wath o'dd e'n colli cwpwl o ddannedd ymhob gornest. Fe gyrhaeddodd e'r ring unwaith ac ar ôl iddo dynnu ei glogyn smart fe ffeintiodd dwy fenyw – oedd e 'di anghofio gwisgo ei shorts.

Roedd y 'pŵr dab' ar y cynfas mor amal nes bod rhai 'di dechre 'i alw fe'n 'REMBRANDT'. Cofiwch, ro'dd e'n rhoi gofid i ambell i baffiwr achos o'n nhw'n credu bo' nhw wedi'i ladd e. Yn y diwedd fe wedodd y doctor wrtho fe am ymddeol rhag ofn alle fe fynd yn *punch drunk*.

"O, na," medde Tomi, "sdim ise i chi fecso am 'na, achos 'wy byth yn yfed punch."

Ond gorfod iddo fe roi lan yn y diwedd achos do'dd e ddim yn ennill digon o arian i dalu am y *bandages*.

P am Priodas

M a' nhw'n dweud bod amal i fachgen ifanc yn aros ar ddihun am orie yn y nos wrth ail-fyw rhai o'r pethe ma' 'i gariad wedi 'ddweud wrtho'n gynharach. Ond beth sy'n rhyfedd, ar ôl priodi, mae e 'di mynd i gysgu cyn bod y wraig 'di gorffen siarad.

★   ★   ★

Roedd Mari Pantybedde wastad yn gweud 'i
bod hi'n cofio pryd 'nath hi briodi a hefyd
ble 'nath hi briodi, ond beth oedd yn pwslan Mari
oedd... pam 'nath hi briodi?

★ ★ ★

Ac i fod yn hollol onest, ro'dd Twm, gŵr Mari,
y creadur mwya diwerth a ga'th 'i greu erioed.
Roedd e bron yn rhy bwdwr i anadlu. 'Na fe, oedd
rhai pobol yn gweud mai'r unig reswm 'nath e
briodi Mari oedd achos bod 'da hi ddau blentyn yn
barod.

★ ★ ★

Peidiwch byth â gadel i farnwr 'ych priodi chi.
Gofynnwch hefyd am y jiwri.

★ ★ ★

R'ych chi'n gw'bod bod y mis mêl drosodd
pan mae'r gŵr yn stopo helpu'r wraig i
olchi'r llestri – ac yn dechre gorfod 'u golchi nhw
'i hunan.

★ ★ ★

Dwy wraig hŷn yn cwrdd ac yn cael sgwrs am eu gwŷr. Medde un,

"Ody'ch gŵr chi'n dal i edrych ar ferched ifanc o hyd?"

"Ody," medde'r llall, "ond dyw'r pŵr dab ddim yn cofio pam, mwyach."

Fe holwyd gwraig, oedd newydd gael ysgariad, a fydde hi'n meddwl priodi 'to. Ei hateb hi oedd,

"Mae gen i gi sy'n udo ac yn cysgu drwy'r dydd, mae gen i barrot sy'n rhegi, mae gen i gath sy'n aros mas drwy'r nos – be 'wy ishe â gŵr arall?"

★ ★ ★

Cofiwch, ferched. Yn y pen draw mae'n well i chi briodi dyn sy 'run oedran â chi. Fel y bydd 'ych harddwch chi'n diflannu, fe fydd 'i lyged e'n gwaethygu.

★ ★ ★

Oe'ch chi'n gw'bod bod gan y brenin Lois XV o Ffrainc un deg pedwar o wneuthurwyr wigs personol, a bod ganddo fe fil o wigs i gyd? Roedd y boi yn… hollol wall-go.

★ ★ ★

Bore priodas Defi John, Garn Uchaf, ro'dd trwch o eira dros bobman a gorfod i Defi John gerdded rhyw ddwy filltir ar draws y caeau i gyrraedd yr eglwys. Er mwyn cadw'i drowser yn lân, fe 'nath e droi'r coese lan at 'i benglinie. Wrth iddo gyrraedd drws yr eglwys gwelodd fod y ficer yn aros amdano, a medde'r ficer wrth Defi,

"Nawrte Defi, cyn i ni fynd i mewn, rwy'n credu bod yn well i chi dynnu'ch trowser i lawr."

A dyma Defi John yn ateb, "Ficer bach, beth yw'r hast. Gadewch i fi gael priodi gynta."

R am Rwsia

Yn America mae pawb yn siarad ond does neb yn gwrando. Ond yn Rwsia mae pawb yn gwrando a neb yn siarad. Dyna pam ma' nhw'n gweud wrthoch chi am beidio byth â diffodd stwmpyn ffag mewn pot blode yn Rwsia, achos fe allech niweidio'r meicroffon.

★ ★ ★

Roedd dyn o Rwsia a dyn o America'n sôn wrth 'i gilydd am y gwahanol ffyrdd o'en nhw'n teithio. Meddai'r Americanwr,

"Fe fydda i'n mynd i'r gwaith bob dydd yn 'y ngherbyd gyriant pedair olwyn a mae 'ngwraig i'n mynd i siopa yn y BMW. Pan fyddwn ni'n mynd ar 'yn gwylie i wlad arall fe fyddwn ni'n mynd yn y Cadillac."

Dyma'r dyn bach o Rwsia yn ateb drwy ddweud,

"Fe fydda i'n mynd i'r gwaith bob dydd ar gefn beic, fe fydd 'y ngwraig i'n cerdded i siopa ond os byddwn ni'n mynd i unrhyw wlad arall fe fyddwn ni'n mynd mewn... tanc."

Rh am Rhent

Stiwdent yn mynd i siop anifeiliaid anwes ac yn gofyn i'r siopwr am ddeg llygoden ffyrnig, ugen o lygod bach a tua hanner cant o bry cop. Medde'r siopwr wrtho, "Beth 'ych chi'n mynd i neud â rhain i gyd?"

"Wel," medde'r stiwdent, "fi wedi ca'l orders i adel y fflat o'wn i'n ei rhenti a ma'r landlord wedi gweud wrtha i am ofalu gadel y fflat fel y ces i hi."

Rh am Rhamant

Shanco yn mynd i weld tad ei gariad i ofyn iddo am law ei ferch mewn priodas. Medde'r tad,

"Popeth yn iawn, caria 'mlaen, ac os nag o's ots 'da ti cer â'r llaw sy'n byw a bod yn 'yn waled i 'fyd."

★ ★ ★

Roedd Enoc wedi blino mynd allan i chwilio am wraig a dyma fe'n penderfynu ymuno â *computer dating*. Wrth gwrs ro'dd rhaid iddo roi gwybodaeth amdano fe'i hunan a pha fath o wraig roedd e'n chwilio amdani. Felly, dyma Enoc yn dweud y bydde fe'n hoffi cael gwraig fach o ran taldra, efo gwallt coch, un oedd yn ysgafn ar ei thraed, yn hoffi mynd am dro i'r coedwig ac yn hoffi bwyd iach fel ffrwythau, llysiau a chnau. Yr ateb gafodd Enoc 'nôl, oedd y dylai briodi wiwer.

Rh am Rhyw

Mari a Jên yn teithio ar fws Arriva i Aberystwyth a Jên yn darllen cylchgrawn. Ar ôl sbel dyma Jên yn dweud wrth Mari,

"Dim ond rhyw, rhyw, rhyw sydd yn y cylchgrawn merched 'ma heddi."

"Ti'n iawn," atebodd Mari. "Pan o'n ni'n dwy'n ifanc do'dd dim amser 'da ni i bethe fel'na, oe'n ni'n rhy fisi'n magu plant."

S am Sobri

Jac a Wil 'di meddwi'n rhacs, yn pwyso dros wal y bont a chysgod y lleuad i'w weld yn glir ar ddŵr yr afon.

"Hei, Jac," medde Wil, "beth yw hwnna lawr fan'na?"

"Y ll'uad, bachan, yw 'onna."

"Wel," medde Wil, "os mai'r ll'uad yw 'onna fan 'na, ble 'yn ni'n dau te, Jac?"

★ ★ ★

Jac a Wil yn cer'ed lawr y stryd a dyma Wil yn dweud, "Jac, ti'n gw'bod y bachan 'na bason ni fan'na nawr, o'dd e'n edrych yn debyg i ti."

"O'dd e," medd Jac, "wel gad i ni fynd 'nôl 'na i weld ai fi o'dd e."

★ ★ ★

Jac a Wil yn teithio ar hyd yr hewl a medde Wil, "Jac bachan, cymera bwyll, ti'n dreifo dros y rhewl i gyd."

"Jiw, Jiw!" medde Jac, "fi sy'n dreifo, ife?"

S am Sâl

Shanco'n mynd at y doctor achos bod 'da fe boen yn 'i ochor a'r doctor yn gweud bod yn rhaid iddo ga'l 'i bendics mas.

"O, ma'n rhaid i fi ga'l barn arall," medde Shanco. Dyma fe'n mynd at feddyg arall a hwnnw'n dweud wrtho bod 'da fe broblem gyda'i galon.

"Fi'n mynd 'nôl at y doctor cynta, achos ma'n well 'da fi ga'l 'y mhendics mas."

S am Sment

Dai a Wil, dau filder, wedi penderfynu mynd i Awstralia i chwilio am waith. Y ddau'n mynd am y tro cynta ar awyren a heb yn wybod i'r ddau, gorfod i'r awyren neud emergency landing ynghanol yr anialwch a phawb yn gorfod gadael yr awyren. Ar ôl i'r ddau, Dai a Wil, ger'ed allan o'r awyren, medde Wil,

"Edrych Dai ar yr holl dywod 'ma."

"Dere glou, Wil bach... cyn bydd y sment yn cyrra'dd."

S am Sul

Gweinidog wedi teithio o bell ac yn aros ar fferm dros y Sul gan fod yr oedfa gynta yn fore iawn. Dyma'r gweinidog bach yn gofyn i'r ffarmwr yn y bore a alle fe fynd i ymarfer 'i bregeth yn un o'r tai mas.

"Siŵr iawn," medde'r ffarmwr. "Cerwch i'r beudy, mae'n gynnes fan'ny gyda'r gwartheg."

Ar ôl mynd i dipyn o hwyl tua hanner ffordd drwy'r ymarfer dyma fe'n sylwi bod un o'r buwchod wedi b'yta ei nodiadau fe i gyd. Adre y Llun canlynol ar ôl codi, gofidiai'r gweinidog braidd am y fuwch, felly dyma fe'n ffonio'r ffarmwr a holi oedd y fuwch yn iawn ar ôl bwyta'i bregeth.

"Ody, ody, mae hi'n eitha reit," medde'r ffarmwr, "ond 'i bod hi 'di sychu."

★ ★ ★

Oe'ch chi'n gw'bod mai ci oedd y creadur cynta i ga'l mynd i'r gofod mewn roced ac mai dafad, hwyaden a cheiliog oedd y rhai cynta i hedfan mewn balŵn aer twym? Wel, dyna ystyr arall i... me–me, cwac-cwac.

T am Tatws

Rhyw Ianci wedi dod ar 'i wylie i Geredigion ac yn teithio ar hyd y wlad yn ei gar mawr a dyma fe'n gweld rhyw ffarmwr ar 'i benglinie mewn ca' wrth y ffordd. Dyma fe'n stopio a gwaeddi,

"Hei, esgusodwch fi, ond beth 'ych chi'n neud ar 'ych penglinie?"

"Tynnu tatw," atebodd y ffarmwr, "Beth 'ych chi'n feddwl o 'nhatws i?"

Atebodd yr Ianc, "Bachan, bachan 'na datw bach. Ma'n tatw ni dair gwaith gymaint o seis."

"Greda i chi," atebodd y ffarmwr. "Dim ond 'u tyfu nhw i ffito'n cege, 'yn ni ffor' hyn."

T am Tân

Jac yn ca'l 'i achub o dafarn, oedd ar dân, gan ddynion y frigâd dân. Ar ôl iddo ddod ato'i hunan dyma'r heddlu'n dod i'w holi a oedd ganddo fe unrhyw amcan sut roedd y tân wedi dechre.

"Sori, offiser," medd Jac, "alla i byth 'ych helpu chi achos... wel... o'dd y lle ar dân pan es i mewn."

T am Tip

Cwsmer wedi ca'l pryd o fwyd mewn lle bwyta gweddol ddrud ac wedi derbyn y bil. Dyma fe'n gorfod dweud wrth y weiter nad oedd ganddo ond digon o arian i dalu am y pryd ac na allai roi tip iddo.

"Sefwch funud," medde'r weiter, "fe ddo i â bil arall i chi."

TH am Theatr

Pâr canol oed wedi derbyn tocynnau drwy'r post i fynd i weld pantomeim a neges yn yr amlen yn dweud... gesiwch oddi wrth bwy ma'r tocynnau? Dyma nhw'n ffonio'u ffrindiau a'u perthnasau i gyd i ofyn ai nhw oedd wedi hela'r tocynnau, heb ddim lwc. Beth bynnag, dyma nhw'n mynd i'r theatr a mwynhau'r sioe, ac ar ôl cyrraedd adre cael sioc ofnadwy o ddarganfod bod lladron wedi torri i mewn i'w tŷ a dwyn gwerth arian o bethau. Ar y bwrdd ro'dd nodyn wedi ei adael,

"Nawr 'ych chi'n gw'bod oddi wrth pwy ro'n nhw!"

★   ★   ★

O'ech chi'n gw'bod y gall plentyn pump oed brynu diod feddwol mewn unrhyw far yn Ffrainc – peth arall yw a all e estyn i'w gyrraedd e.

U am Uffern

Megan, gwraig Moc, newydd ddod bant o'r ffôn ar ôl cael galwad oddi wrth Carol, eu merch yn y coleg, gan redeg i'r gegin at Moc a dweud,

"Moc bach, fi newydd ga'l galwad ffôn wrth Carol, y ferch, a ti ddim yn mynd i gredu hyn."

"Ise rhagor o arian," medde Moc.

"O, nage, nage. Ti'n gw'bod y bachan 'na mae hi wedi dyweddïo ag e. Wel, ma'n nhw'n sôn am briodi'r haf nesa!"

"O, nefi blw!" medde Moc.

"Na, mae'n wa'th eto. Pan ofynnes iddi beth oedd e, ai Methodist neu Eglwyswr neu Annibynnwr, wedodd hi mai anffyddiwr yw e."

"Wel, beth yw hwnnw 'te?" holodd Moc.

"Anffyddiwr yw rhywun sy ddim yn credu dim, ddim yn credu mewn nefoedd na uffern."

"O, paid â becso dim. Gad ti iddo fe fod yn briod â Carol ni am chwe mis, fe ddaw e i gredu mewn uffern."

W am Wy

Iâr a mochyn yn bolaheulo hefo'i gilydd un diwrnod ac yn sydyn dyma nhw'n gweld fan yn dod ar hyd yr hewl, sy'n rhedeg efo gwaelod y cae. Ar ochr y fan ro'dd y geiriau 'JONES HAM and EGGS' a dyma'r iâr yn troi at y mochyn gan ddweud,

"Edrych, 'yn ni'n dau yn yr un busnes, mewn ffordd."

"Edrycha di 'ma," medde'r mochyn, "ma' 'na wahaniaeth mawr. Un diwrnod o waith yw e i ti, rwy'n gorfod rhoi 'mywyd."

Y am Ysbyty

Dyn bach yn dihuno mewn ysbyty ar ôl iddyn nhw dorri ei goes e bant, a'r meddyg yn dod i'w weld e. Medde'r claf, "Yw popeth yn iawn? Dim problem, gobeithio."

"Wel," medde'r meddyg, "ma' 'da fi newyddion da a drwg i chi."

"O na, beth yw'r newyddion drwg, Doc?"

"Mae'n ddrwg gen i ddweud wrthoch chi, ond fe dorres i'r goes anghywir i ffwrdd."

"O na! Sut gallech chi fod mor dwp ddyn, a beth

yw'r newyddion da sy 'dach chi 'te?"

"Ymmm… y newyddion da yw 'yn bod ni'n credu y gallwn ni achub y goes arall nawr."

★ ★ ★

Roedd Defi John wedi ca'l 'i bendics mas ac ar ôl y driniaeth dyma fe'n sylwi, ar ôl dihuno 'nôl yn y ward, fod y cyrtens i gyd ar gau. Fore trannoeth, ar ôl dod ato'i hun ac yn ddigon da i siarad, dyma fe'n holi un o'r nyrsys,

"Gwedwch wrtha i, pam bod y cyrtens ar y ward i gyd ar gau ar ôl i fi ddod at 'yn hunan, ar ôl yr oporeshon ddoe?"

"Wel, pan ddaethon ni â chi 'nôl o'r theater, ro'dd y ffatri groes yr hewl ar dân," medde'r nyrs, "a fe gaeon ni'r cyrtens, rhag ofn i chi feddwl falle 'ych bod chi wedi lando yn uffern."

Y am Ysbwriel

Dyn sbwriel yn galw heibio i dŷ Shanco adeg y Nadolig i'w gyfarch gan obeithio cael tip bach am ei waith caled drwy'r flwyddyn.

"Nadolig llawen i chi, Shanco. Fi yw'r dyn sy'n

gwagio'ch bins chi bob wythnos."

"O ife," atebodd Shanco, "a finne yw'r boi sy'n 'u llanw nhw."

★ ★ ★

O'ech chi'n gw'bod mai'r wyddor fwya yn y byd yw gwyddor Cambodia, gyda saith deg pedwar o lythrenne… Wel, fe ga' nhw fod heb lyfr jôcs o'm rhan i.

★ ★ ★

Ac Y am...

Y diwedd.

CYFRES  TI'N JOCAN

Hefyd yn y gyfres **TI'N JOCAN**

HIWMOR DAI JONES
HIWMOR LYN EBENEZER
HIWMOR Y CARDI gan Emyr Llewelyn
HIWMOR SIR BENFRO gan Mair Garmon

i gyda am ddim ond £3.95 yr un.
Yr anrheg perffaith
i chi'ch hunan
neu i'r fam-yng-nghyfraith

Am restr gyflawn o lyfrau'r wasg,
mynnwch gopi o'n Catalog newydd, rhad
– neu hwyliwch i mewn i'n gwefan

www.ylolfa.com

i chwilio ac archebu ar-lein.

TALYBONT CEREDIGION CYMRU SY24 5AP
e-bost ylolfa@ylolfa.com
gwefan www.ylolfa.com
ffôn (01970) 832 304
ffacs 832 782